Traduction française
Diane Meirlaen
© 2004 Editions Mijade
16-18, rue de l'Ouvrage
B-5000 Namur

Titre original:Ik wil een Tuutje
© 2004 Uitgeverij Clavis
Amsterdam – Hasselt

ISBN 2-87142-424-1
D/2004/3712/32
Imprimé en Chine

Kathleen Amant

Je veux ma tétine

Petit train

« Je veux ma tétine, maman ! »
« Non. La tétine,
c'est seulement pour s'endormir. »

« Je veux ma tétine, papa ! »
« Non. La tétine,
c'est juste pour aller au lit. »

« Laisse-moi tranquille ! »
grogne Grand Frère.

«Tu veux bien me donner ma tétine, le chien ?»
Le chien grommelle et se rendort.

Lise est fâchée.
Très fâchée.

Personne ne l'écoute.

C'est maintenant que Lise veut une tétine.

Et elle en trouve une…

…près de Petit Frère.

« Maintenant, c'est ma tétine à moi. »

Petit Frère proteste…

…mais Lise a une délicieuse tétine.

Et personne ne la lui prendra!